22.06
Chulainn

D1479692

¿Qué le pasa al planeta?

Eva Clemente

emonautas

cuentos para vivir las emociones

El planeta se despertó una mañana
con picores por todas partes.

Le picaba mucho el Polo Norte,

así que empezó a rascarse muy fuerte. ¡Ras, ras!

Los habitantes se despertaron desconcertados, preguntándose:

¿Qué pasa? ¿Qué pasa?

Aunque en lenguaje polar sonó algo como:

Luego empezó a picarle el Amazonas... ¡¡Ras, ras!!
El cielo se llenó de plumas y prisas.

¡Graaaa, graaaaa!, gritaron los loros, tucanes

y guacamayos, preguntándose:

¿Qué pasa? ¿Qué pasa?

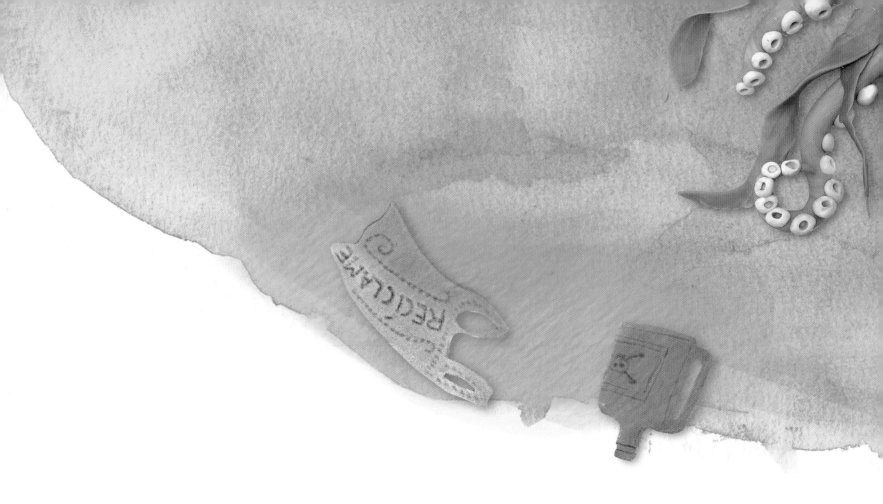

El Atlántico se lo notaba como pegajoso... ¡Puaj!
Metió la mano hasta lo más hondo y se rascó con
ansia las algas y los fondos marinos. ¡¡¡Ras, ras!!!

¡Glub, glub, glub!,

burbujearon dos besugos, un pez globo y un atún, como preguntándose:

¿Qué pasa? ¿Qué pasa?

Para colmo, le escocían muchísimo algunos continentes.

¡Seguro que era por esos granos tan raros que le habían salido!

¿Y si en lugar de rascarse se soplaba un poquito...? bbbbb bffffffffff

Así, flojito... bbbbbbbb ffffffffff

Pero lo cierto es que el bufidito

fue un tifón tan fuerte como una flatulencia de elefffffante

que hizo flotar de un flipflop

edificios...

farolas...

fuentes...

estufas...

bufandas...

pantuflas...

Y también se llevaba volando a los niños, que agitaban los brazos en el aire, preguntándose:

—¿Qué pasa? ¿Qué pasa?

Hasta que por fin entendieron lo que estaba ocurriendo:

—¡Es el planeta! ¡¡¡Le pasa algo al planeta!!!

El planeta paró de repente de soplar.

¿¡Le había parecido que hablaban de él!?

Los niños fueron cayendo uno a uno como gotas de lluvia.

¡Todos querían oír lo que le pasaba!

Pero... tuvieron que esperar un buen rato.

Porque el planeta, que no estaba muy acostumbrado a que lo escucharan,

tardó mucho en contarles que tenía granitos y picores por todas partes.

bbzzZzzz

¿Granitos? ¿Picores?

¡Eso era que tenía piojos!

¡O alguna alergia!

¡También podía ser la varicela!

¿Quizá le había dado mucho el sol...?

¿¡Y si le había picado un enorme mosquito!?

Desde hacía ya un tiempo le pasaban muchas cosas raras.

Se estaba quedando calvo por algunas zonas.
¡Y eso que no tenía ni 4500 millones de años!

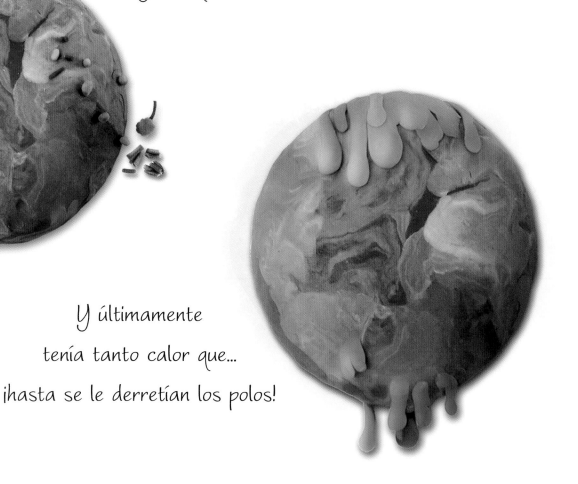

Y últimamente
tenía tanto calor que...
¡hasta se le derretían los polos!

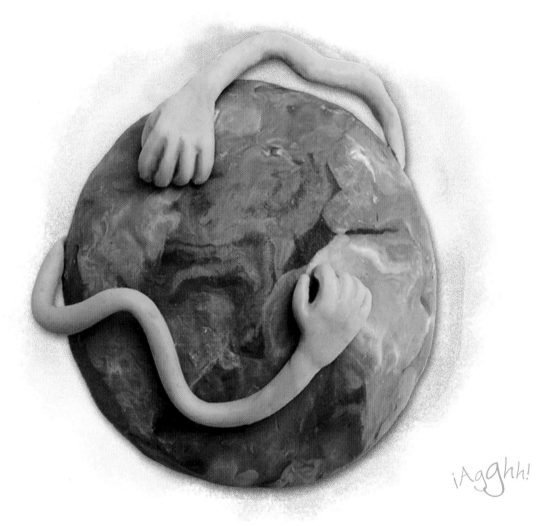

¡Agghh!

Cada vez se sentía más sucio y recalentado...

¿Habría ido al médico?

El planeta les enseñó las hojas
que le había dado el doctor.

¡¿Todo eso le pasaba?!

¿Y qué sería eso de la fabriquitis?

Los niños pensaron en las fábricas. Es cierto que eran muy feas... y el humo de sus chimeneas ensuciaba el cielo de gris. Pero... ¡de las fábricas salían las cosas!

Y, sin ellas, no existirían los televisores... ni los teléfonos... ni los coches... ¿ni los juguetes...? ¿Podría existir el mundo sin fábricas?

El planeta suspiró. AaaAAyssssssssssssss...

¡Las fábricas lo dejaban agotado!

Para alimentarlas, le vaciaban las minas y los yacimientos de petróleo, le ensuciaban los ríos, le talaban los bosques...

¡No podía recuperarse tan rápido!

Y, encima, muchas de las cosas que se fabricaban al poco tiempo no servían para nada y se le acumulaba la basura por toooodas partes.

¿Cómo iba a deshacerla tan deprisa?

Justo en ese momento...

Pañales

bolsas de plástico

botellas

latas

aparatos rotos

envoltorios

pilas

metales

bolsas

más bolsas

cigarros

latas

¡Le entraron unos picores tremendos en el centro de África! ¡Ras, ras!

Los animales corrieron como locos por la sabana,

preguntándose:

¿Qué pasa? ¿Qué pasa?

¡Qué caos!

A la cebra se le caían las rayas...

¡Los hipopótamos trepaban a las acacias!

¡¡¡Todo estaba descolocado!!!

Bueno... todo, menos las moscas.

¡Eran las únicas que seguían

haciendo cosas supernormales!

—¡Para, para, planeta! —gritaron niñas
y niños de todos los continentes.

Pero el planeta no podía dejar de rascarse.

Entonces, entre todos tomaron una decisión:

—¡Vamos a ayudar a nuestro planeta!

Pero... ¿qué podían hacer ellos?
Eran pequeños y no se les
ocurría ninguna gran idea......

¡Solo se les ocurrían ideas pequeñitas!

Cerrar el grifo si no se usa

Separar la basura para reciclarla

Apagar la luz cuando no se necesita

No tirar basura al mar, río, montaña...
¡Ni tampoco por el W.C.!

Fabricar juguetes reciclados

Utilizar menos bolsas de plástico
(usar bolsas de tela o reutilizables)

Cuidar las cosas,
así duran más y se fabrican menos

Usar el transporte público
ir a pie o en bicicleta

PRODUCTOS DE AQUÍ

Comprar en comercios cercanos,
productos locales y de comercio justo

Cosas fáciles que niños y mayores podían hacer para cuidar al planeta.

Como eran cosas tan pequeñas,

cabían en todas las casas, familias y colegios.

Rodaban aquí y allá, colándose por cualquier rendija...

Y aunque, solas, seguían siendo pequeñitas,

juntas crecieron y crecieron,

hasta que...

¡lo envolvieron todo con un gran abrazo!

Y así, a nuestro planeta se le fueron calmando los picores...

y volvió a quedarse
plácidamente dormido.

Fin ~~Fin~~ Principio

Prólogo

En la educación ambiental es importante transmitir un par de ideas fundamentales:

La primera es que el ser humano forma parte de la Tierra, es pura naturaleza. Por este principio, todos los cambios que se produzcan (o produzcamos) en nuestro planeta nos afectarán directamente como seres vivos que somos. Es en esto en lo que se basa la llamada teoría ecocentrista, donde la naturaleza es la esencia de todas las cosas y el hombre se encuentra integrado en ella, como un elemento más aunque dotado de intelecto y de la capacidad de utilizar los recursos naturales para vivir.

La segunda es que la protección de la Tierra es cosa de tod@s: abuel@s, padres/madres e hij@s. Es transgeneracional porque no tenemos el derecho de negarles a nuestr@s descendientes un hogar donde puedan llevar una vida sana y de calidad.

Pero, ¿qué podemos hacer para respetar y conservar la naturalidad de nuestro planeta? ¿Qué hacer ante una sociedad consumista, ante unas fábricas que contaminan y una acumulación tóxica de basuras? ¿Qué puedo hacer yo como individuo que soy? Lo primero de todo es empezar por conocer nuestro planeta, escucharlo, respetarlo y averiguar cuáles son sus problemas.

«Para valorar el medio ambiente que nos rodea, antes debemos aceptar nuestra propia naturaleza y belleza humana»

Jana Miguel Fernández, técnico ambiental

Siempre he sentido amor por la naturaleza y me preocupa lo que está ocurriendo con nuestro planeta. La ecología no es un tema de moda, sino de actualidad, que nos afecta a tod@s y que no podemos permitirnos ignorar. Sin embargo, los problemas medioambientales son tan complejos que a veces nos quedamos con la idea de que los cambios los tienen que hacer quienes tienen más poder (multinacionales, gobiernos, instituciones...) o quienes creemos que causan mayor impacto (grandes empresas, industrias, etc). En definitiva, otr@s. Obviamente se necesitan cambios estructurales importantes, pero, ¿por qué no los vamos iniciando *nos*otr@s?

Creo que hay que ser conscientes de que no existen las soluciones mágicas, pero sí formas diferentes de hacer las cosas en nuestro día a día. Pequeñas acciones que, aunque quizá nos cuesten más tiempo, esfuerzo o dinero, son increíblemente importantes. No solo porque con la suma de ellas minimizaremos nuestro impacto en el planeta, sino porque estaremos dejando un valioso e imprescindible legado a nuestr@s hij@s al educarl@s como ciudadan@s responsables con el entorno. Esa es para mí, sin ninguna duda, la aportación más exponencial que podemos hacer: educar día a día a nuestr@s pequeñ@s en el respeto. El cambio de mentalidad es la verdadera revolución.

Esta ha sido la gran motivación para escribir este cuento, mi pequeña contribución. Y, ahora, os dejo con información y actividades complementarias, deseando que despierten vuestro interés y sean un punto de partida para que sigáis investigando.

Eva Clemente

¿Cómo explicar a l@s niñ@s de forma sencilla algunos conceptos?

EFECTO INVERNADERO Y CALENTAMIENTO GLOBAL

En los últimos años la temperatura de la Tierra ha subido de forma preocupante. Esto es a causa principalmente del llamado **efecto invernadero** y de la masiva emisión de gases (como el dióxido de carbono o CO_2) derivados de la quema de combustibles fósiles. Muchas de las energías que utilizamos provienen del gas y del petróleo (luz, aire acondicionado, calefacción...); el petróleo también se utiliza en la fabricación de los plásticos y como combustible para medios de locomoción.

Pensemos por ejemplo en el humo que emiten los coches. Los gases tienden a subir pero, como no hay bosques que los retengan (recordad que los árboles consumen CO_2), se acumulan en la atmósfera en grandes cantidades. Estos gases, llamados «de efecto invernadero», tienen una característica especial: no dejan que se escape el calor. Así que, como consecuencia, la temperatura de la Tierra sube, produciéndose así lo que se conoce como **calentamiento global**.

Para entenderlo mejor:

Imaginad que nos metemos bajo un techo de plástico en un día de verano. Seguro que alguna vez habéis notado cómo se concentra ahí el calor, ¿verdad? La capa de contaminación y gases provoca ese mismo efecto. Imaginad que justo en ese lugar tuviéramos un helado en la mano... se derretiría más rápidamente, ¿no? Pues algo parecido sucede en las zonas del planeta que están cubiertas de hielo (como los glaciares o los polos).

El efecto invernadero es un proceso natural, pero los humanos somos responsables de acelerar el calentamiento a causa de la emisión incontrolada de gases.

RECURSOS NATURALES

Son aquellos elementos que tomamos de la naturaleza y que utilizamos en nuestra vida diaria y en la industria. Los recursos se suelen clasificar en dos tipos:

RENOVABLES

Son los que se vuelven a generar (ej: bosques, bancos de peces...) y que pueden ser **ilimitados**, como el viento y el sol, o **limitados**, como el agua dulce. Un uso abusivo puede agotarlos o dejarlos inservibles.

NO RENOVABLES

Quiere decir que en algún momento se acabarán y no se regenerarán (o tardarían cientos o miles de años en hacerlo). Ej: minerales, carbón, petróleo, etc.

Desde el inicio de la era industrial, la temperatura de la Tierra ha subido aproximadamente 1ºC, que, aunque así de primeras nos pueda parecer poco, es un cambio muy relevante. Los científicos dicen que si sube 2º C más los efectos pueden ser desastrosos.

No se sabe hacer una previsión exacta de lo que va a ocurrir —y cada científico opina cosas diferentes—, pero **hay consecuencias del cambio climático que ya se están dando**: huracanes más fuertes, tormentas que producen más inundaciones, severas sequías, cambios drásticos de clima, falta de agua potable (con aumento de enfermedades como la malaria o las alergias), cambios en las condiciones de producción, extinción de especies, pérdida de hábitats, etc.

DATO INTERESANTE

Una institución llamada *Global Footprint Network,* basándose en datos de las Naciones Unidas, calcula cada año lo que denominan *Earth Overshoot Day*, algo así como el *Día de la Sobrecapacidad de la Tierra*. Fijan la fecha estimada en la que los humanos hemos consumido lo que la Tierra ha podido producir en un año entero. En 2017 la fecha se fijó el 2 de agosto, y cada año se va adelantando respecto al año anterior (para que os hagáis una idea: en 1987 era el 19 de diciembre).

Esto es parecido a recibir la paga del mes, gastársela toda antes de la tercera semana y seguir sacando dinero de la hucha. ¿Cuánto tiempo nos durarán los ahorros?

¿Qué es la huella ecológica?

Es un indicador del impacto ambiental que se mide en espacio afectado. Permite contemplar los recursos utilizados de una manera global.

Podemos hacer un ejercicio con l@s niñ@s y analizar algún objeto de uso cotidiano: ¿Qué recursos del entorno se han usado desde la producción, el transporte, el uso y hasta la gestión de los residuos? Os daréis cuenta de que se empiezan a crear conexiones ampliables hasta el infinito...

Por cierto, ¿sabéis cuánto tiempo tardan en degradarse los diferentes tipos de material que utilizamos habitualmente?
Podéis hacer un *collage* o un mural y colgarlo en casa o en clase.
Este tipo de ejercicios nos hace ser más conscientes de cómo afectamos al entorno y del alcance de ese impacto. En internet podéis encontrar mucha información sobre la biodegradación, así como tests para calcular la huella ecológica.

SOSTENIBILIDAD

Significa hacer un uso equilibrado de los recursos naturales. **Conservar, respetar y no perjudicar el medio ambiente,** ni en el presente ni para las siguientes generaciones.
Es decir, no gastar más de lo que se tiene.

Enseña a los niñ@s, aprende de ell@s

¿Habéis oído hablar de las tres R?

Son la mejor herramienta para comenzar a cambiar un poco las cosas.

REDUCIR

1- Energía: El uso energético supone el 60% de la huella ecológica. Podemos aplicar **la norma de la necesidad: no gastar más de lo que se necesita.**

2- Consumo: solo comprar lo que verdaderamente vayamos a usar.

3- Residuos: elegir productos con envases de vidrio (100% reciclable) o embalaje de cartón antes que de plástico o metal. Utilizar menos bolsas plásticas.

4-Emisiones: Usar transporte público o ir a pie, y comprar en comercios cercanos. Así no generamos humo con los coches ni en el transporte de los productos procedentes de fábricas lejanas.

RECICLAR

Según un estudio del INE (Instituto Nacional de Estadística español) en 2014 cada habitante generó como media 459,1 kg de residuos. Es mucha basura, ¿no os parece? Por eso **es muy importante no solo que no tiremos residuos en cualquier parte sino que los clasifiquemos lo mejor posible** para recuperar parte de esos materiales. ¿Dónde irían a parar si no se gestionan bien?

REUTILIZAR

Eduquemos a l@s niñ@os en un modelo diferente al «usar y tirar». Adoptemos como filosofía alargar la vida de los objetos, reconvertir e innovar. Esto evitará tener que comprar cosas nuevas ¡y puede ser muy divertido!

RESPONSABILIDAD y RESPETO

Me gustaría añadir dos «R» más. **Responsabilidad** para cuidar el entorno (por pequeñas que sean las acciones que realicemos, unidas pueden tener una gran repercusión), y, sobre todo, para asumir la importancia de nuestro papel de educador@s de l@s adult@s del mañana. Ell@s serán l@s responsables de cuidar el planeta en el futuro, y por eso, creo que debemos inculcarles el valor del **respeto** como forma básica de relación con el entorno.

Ideas y propuestas de actividades

Os animo a aprender junt@s mediante el juego, la experimentación y la creatividad.

¿Te has parado a pensar qué hay detrás de algunos actos cotidianos? Por ejemplo, el W.C. Bajas la tapa, descargas la cisterna y desaparece todo. ¡Qué bien!, ¿verdad?

Propuesta de reflexión: ¿Qué está bien echar y qué no al WC?

ENCUENTRA LAS DIFERENCIAS

¿Y si fabricáis vuestros propios juguetes? Reciclar materiales es muy divertido. ¡Y hay posibilidades ilimitadas! En nuestra web encontrarás muchas ideas.

¿Vivís en la ciudad? Podéis tender media hoja de papel al aire libre. Al cabo de un mes, observad si se aprecia más amarilla o gris que la otra mitad por la contaminación.

Podéis aprovechar estos juegos para reflexionar sobre qué pasa con los residuos que no van al sitio correcto.

Por ejemplo, los plásticos en el mar son un peligro para muchas especies, bien porque los animales se quedan atrapados en ellos o porque los confunden con alimento y se los comen, causándoles graves problemas o incluso la muerte.

¿Sabemos qué va a cada contenedor?

Por ejemplo: ¿sabías que al contenedor de vidrio se puede echar vidrio pero no cristal?

observa
experimenta
crea
aprende
reflexiona

¿Habéis germinado semillas alguna vez? Con esta actividad se cultiva, de paso, el arte de la paciencia y la observación.

Eva Clemente, autora e ilustradora

Las ilustraciones del cuento están realizadas con plastilina. ¿Os animáis a modelar vuestros propios personajes?

Podéis reflexionar junt@s sobre todo lo que le pasa al planeta. ¿Te has fijado que en algunas escenas hay zonas grises? ¿Qué más cosas son grises en el cuento y por qué?

Fabriquitis es un concepto completamente inventado con el que he querido plantear de una forma divertida el problema del consumo excesivo y la explotación desmesurada de los recursos, un tema que a nivel personal me importa mucho. Pero, ¿qué sería para vosotr@s la *fabriquitis*?

¿HAS VISTO A ÑIGU?

¿Dónde viven los pingüinos? ¿En el Polo Norte? ¿O era en el Polo Sur...? ¡Jugad a buscar a Ñigu en cada escena!

¡Ñigu, ñigu, ñaaaa!

Y, por último, os propongo realizar esta actividad y utilizarla cuando leáis el cuento junt@s:

1. Dobla una cartulina por la mitad

2. Coloca la mano así y dibuja el contorno

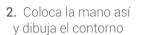

3. Recorta la silueta

4. Desdóblala y... ¡sorpresa!

IDEA:
Aprovechad el recorte sobrante para hacer un tarjetón.

¡Aquí no se tira nada!

Será algo muy divertido para l@s niñ@s simular que ell@s son la mano grandota que rasca al planeta, y os dará mucho juego para hablar y reflexionar.

¿Qué mano elegís ser vosotr@s?

¿La mano que lo desordena todo o la que acaricia y cuida al planeta?

¿Conoces nuestras colecciones?

COLECCIÓN
LOS TENTÁCULOS
DE BLEF

Colección
Me lo
dijo un
pajarito

cuentos de
MAMA LUA

COLECCIÓN

Todos los cuentos incluyen:

Guía para
padres y
educadores

Entra en nuestra web y descúbrelas:

www.emonautas.com

emonautas
cuentos para vivir las emociones

«Muchas de las cosas que hagas en la vida serán insignificantes, pero es muy importante que las hagas»

Gandhi